D0477260

Macarons
{Collection}

Myriam Darmoni

Photographies : Valéry Guédes
Stylisme : Natacha Arnoult assistée de Margot Lhomme

hachette
PRATIQUE

– Sommaire –

Les chocolats

Les classiques

Recette de base des coques

Pour **40 coques** environ | Préparation **1 heure**
Repos **1 heure** | Cuisson **10 minutes**

3 blancs d'œufs à température ambiante | 30 g de sucre en poudre
200 g de sucre glace | 125 g de poudre d'amande | Colorant liquide

Matériel | 2 plaques à pâtisserie (ou 1 plaque et 1 grille) | 1 tamis
(ou 1 passoire fine) | 1 spatule en silicone | 1 fouet à œuf | 1 poche
à pâtisserie munie d'1 douille lisse de 8 mm | Papier sulfurisé

Mélangez le sucre glace et la poudre d'amande. Mixez-les, puis tamisez-les pour obtenir une poudre très fine.

Montez les blancs d'œufs en neige avec 10 g de sucre à vitesse moyenne. Quand ils commencent à prendre, versez le reste de sucre, augmentez la vitesse et montez en neige ferme.

Avec une spatule en silicone, mélangez les blancs en neige avec la poudre fine et le colorant. Plongez la spatule dans le fond du récipient et soulevez la pâte.

Quand les blancs sont incorporés, continuez à mélanger 1 min pour rendre la pâte lisse.

Tapissez 2 plaques à pâtisserie de papier sulfurisé. Collez-le avec un peu de blanc en neige. Versez la pâte dans une poche à douille. Dressez des disques de pâte d'environ 3 cm de diamètre en les espaçant régulièrement. Posez chaque plaque sur la grille du four. Laissez reposer à l'air libre 30 min à 1 h. La pâte va « croûter », c'est-à-dire qu'elle va sécher et ne plus coller au doigt. Enfournez 10 min à 160 °C (th. 5/6) dans un four à chaleur tournante.

Les clés de la réussite

➤ Préparez les ganaches à l'avance pour qu'elles aient le temps de prendre. Remettez-les à température ambiante pendant le « croûtage » des macarons et fouettez-les pour les rendre aériennes.

➤ Préférez du sucre glace avec une pointe d'amidon, cela fait la différence. Au supermarché, scrutez les étiquettes avant de faire votre choix.

➤ Plus le mélange sucre glace-poudre d'amande est fin, plus le macaron est lisse. N'hésitez pas à le préparer à l'avance en grande quantité. Ensuite, comptez 110 g de cette poudre pour 1 blanc d'œuf.

➤ Utilisez toujours des blancs d'œufs à température ambiante.

➤ Laissez toujours « croûter » les macarons avant de les cuire. Dressez-les sur les plaques et réservez 30 min minimum à l'air libre. Ils sont prêts à cuire quand leur surface ne colle plus au doigt. Évitez de « macaronner » par temps humide, les macarons sèchent difficilement, voire pas du tout.

➤ Si vous ne maîtrisez pas encore la poche à douille, entraînez-vous en faisant des plus gros macarons (6 cm de diamètre). Préparez des gabarits, à placer sous le papier sulfurisé.

➤ Domptez votre four. N'hésitez pas à baisser (ou augmenter un peu) la température, voire adapter le temps de cuisson de quelques minutes. Pas de chaleur tournante ? Tournez la plaque à mi-cuisson.

➤ Pour décoller facilement les coques, versez un peu d'eau entre la plaque et la feuille de cuisson : la vapeur créée décolle la coque sans l'abîmer.

➤ Dosez les colorants. Liquides, ils s'affadissent à la cuisson. Ceux en poudre donnent des couleurs plus franches.

➤ Une fois assemblés, réservez les macarons au frais et attendez quelques heures avant de les déguster. Le top étant de les laisser reposer 24 h.

Macaron au chocolat noir

Pour **une vingtaine de petits macarons**
Préparation **1 heure** | Repos **1 heure**
Cuisson **17 minutes** | Niveau **difficile**

Pour les coques | 3 blancs d'œufs à température ambiante | 30 g de sucre en poudre | 200 g de sucre glace | 125 g de poudre d'amande | 2 cuil. à soupe de cacao non sucré | 4 gouttes de colorant alimentaire rouge

Pour la ganache au chocolat noir | 200 g de chocolat à dessert noir 50 g de beurre

Matériel | Papier sulfurisé | Poche à douille

Préparez la ganache au chocolat. Cassez le chocolat en morceaux et faites-le fondre au bain-marie. Quand il est fondu, incorporez le beurre hors du feu. Laissez tiédir, puis réservez au froid.

Préparez les coques. Mélangez le sucre glace avec la poudre d'amande et le cacao. Mixez, puis tamisez. Montez les blancs d'œufs à vitesse moyenne avec 10 g de sucre. Quand ils commencent à prendre, ajoutez le reste de sucre et terminez de les monter en neige ferme. Incorporez le colorant. Mélangez les blancs en neige avec le mélange de poudre d'amande, de sucre et de cacao (voir recette de base, p. 8). Tapissez 2 plaques de four de papier sulfurisé. Avec une poche à douille, formez des macarons de 3 cm de diamètre en les espaçant régulièrement. Réservez à l'air libre 1 h.

Préchauffez le four à 160 °C (th. 5/6). Enfournez les plaques 12 min. Laissez tiédir avant de les décoller. Garnissez la moitié des coques avec 1 cuillerée à café de ganache et assemblez-les avec le reste des coques vides. Réservez au réfrigérateur quelques heures avant de déguster.

Variantes | Saupoudrez les coques de vermicelles au chocolat (avant de les cuire) ou de sucre pétillant au chocolat (en épicerie fine).

Macaron au chocolat blanc

Pour **une vingtaine de petits macarons**
Préparation **1 heure** | Repos **1 heure**
Cuisson **15 minutes** | Niveau **difficile**

Pour les coques | 3 blancs d'œufs à température ambiante | 30 g de sucre en poudre | 200 g de sucre glace | 125 g de poudre d'amande

Pour la ganache au chocolat blanc | 200 g de chocolat blanc de couverture 10 cl de crème liquide | 20 g de beurre

Matériel | Papier sulfurisé | Poche à douille

Préparez la ganache au chocolat blanc. Concassez le chocolat blanc au couteau. Dans une casserole, faites bouillir la crème. Hors du feu, incorporez le chocolat et le beurre. Laissez refroidir, puis réservez au frais.

Préparez les coques. Mixez, puis tamisez le sucre glace et la poudre d'amande. Montez les blancs d'œufs en neige en leur incorporant le sucre en poudre dès qu'ils commencent à être fermes. Avec une spatule en silicone, incorporez-les délicatement au mélange sucre glace-poudre d'amande.

À l'aide d'une poche à douille, dressez des macarons d'environ 3 cm de diamètre sur 2 plaques du four recouvertes de papier sulfurisé. Laissez « croûter » 1 h. Préchauffez le four à 160 °C (th. 5/6). Enfournez 10 min. Laissez refroidir avant de les décoller.

Garnissez la moitié des coques avec de la ganache au chocolat blanc et assemblez-les avec le reste des coques. Réservez quelques heures au frais avant de déguster.

Conseils | La cuisson est moins longue à une température plus basse. Pour éviter que les coques ne brunissent, surveillez-les.

Variante | Ces macarons peuvent aussi être réalisés avec des coques au cacao (voir recette du macaron au chocolat noir, p. 10).

Macaron chocolat-noisette

Pour **une vingtaine**
de petits macarons
Préparation **1 heure**
Repos **1 heure**
Cuisson **17 minutes**
Niveau **difficile**

40 coques au chocolat noir
(voir recette, p. 10)

Pour la ganache chocolat-noisette
200 g de chocolat à dessert noir | 50 g
de noisettes concassées | 50 g de beurre

Préparez la ganache chocolat-noisette. Cassez le chocolat en morceaux dans un saladier. Faites-le fondre au bain-marie. Quand il est fondu, incorporez le beurre et les noisettes concassées. Laissez tiédir, puis réservez au froid.

Garnissez la moitié des coques vides avec de la ganache chocolat-noisette et assemblez-les avec le reste des coques. Réservez au frais quelques heures avant de déguster.

Macaron chocolat-praliné

Pour **une vingtaine**
de petits macarons
Préparation **1 heure**
Repos **1 heure**
Cuisson **17 minutes**
Niveau **difficile**

40 coques au chocolat noir
(voir recette, p. 10)

Pour la ganache au praliné | 200 g de chocolat à dessert Pralinoise | 10 cl de crème liquide | 15 g de beurre | 50 g de pralin (Vahiné®)

Préparez la ganache au praliné. Versez la crème dans une casserole et portez à ébullition. Hors du feu, ajoutez le chocolat cassé en morceaux et fouettez jusqu'à obtention d'une crème lisse. Incorporez le beurre et le pralin. Laissez tiédir, puis réservez au froid.

Garnissez la moitié des coques vides avec de la ganache et assemblez-les avec le reste des coques. Réservez au frais quelques heures avant de déguster.

Macaron chocolat au lait-fruit de la Passion

Pour **une vingtaine de petits macarons**
Préparation **1 heure** | Repos **1 heure**
Cuisson **17 minutes** | Niveau **difficile**

Pour les coques | 3 blancs d'œufs à température ambiante | 30 g de sucre en poudre | 200 g de sucre glace | 125 g de poudre d'amande | 10 gouttes de colorant jaune | 5 gouttes de colorant rouge | 2 cuil. à soupe de cacao amer

Pour la ganache chocolat au lait-fruit de la Passion | 200 g de chocolat au lait de couverture | 10 cl de crème liquide | 15 g de beurre | 1/2 fruit de la Passion

Matériel | Papier sulfurisé

Préparez la ganache. Concassez le chocolat. Faites bouillir la crème. Hors du feu, ajoutez le chocolat et mélangez pour le faire fondre. Terminez en incorporant le beurre. Laissez tiédir. Prélevez la chair du fruit de la Passion et pressez-la dans une petite passoire avec une fourchette. Incorporez le jus recueilli à la ganache. Laissez refroidir.

Préparez les coques au chocolat noir (voir recette, p. 10) en incorporant les colorants aux blancs en neige. Dressez les coques sur 2 plaques du four, tapissées de papier sulfurisé. Saupoudrez-les de cacao tamisé. Laissez sécher pendant 1 h. Faites cuire 12 min dans le four préchauffé à 160 °C (th. 5/6).

Laissez refroidir les coques avant de les décoller. Garnissez-les de ganache et assemblez-les 2 par 2.

Variante | Remplacez les colorants alimentaires par 1/2 cuillerée à café de curcuma.

Macaron chocolat-pistache

Pour **une vingtaine**
de petits macarons
Préparation **1 heure**
Repos **1 heure**
Cuisson **12 minutes**
Niveau **difficile**

40 coques au chocolat noir
(voir recette, p. 10)
Pour la crème à la pistache | 120 g de
beurre | 120 g de poudre de pistache
80 g de sucre glace

Préparez la crème à la pistache. Avec une fourchette, travaillez le beurre pour lui donner la consistance d'une pommade. Ajoutez la poudre de pistache et le sucre glace. Mélangez jusqu'à obtention d'une crème homogène. Réservez au frais.

Garnissez la moitié des coques avec de la crème à la pistache et assemblez-les avec le reste des coques. Réservez au frais quelques heures avant de déguster.

Conseil | Avant de cuire les coques, vous pouvez les saupoudrer de poudre de pistache.

Macaron forêt-noire

Pour **une vingtaine**
de petits macarons
Préparation **1 heure**
Repos **1 heure**
Cuisson **17 minutes**
Niveau **difficile**

40 coques au chocolat noir
(voir recette, p. 10)
Pour la ganache chocolat-cerise
200 g de chocolat à dessert noir | 50 g
de beurre | 1 cuil. à café de kirsch | 5 cuil.
à soupe de cerises au sirop égouttées

Préparez la ganache. Hachez les cerises. Faites fondre le chocolat au bain-marie. Hors du feu, incorporez le beurre, le kirsch et les cerises. Laissez tiédir, réservez au froid.

Garnissez la moitié des coques avec de la ganache. Assemblez-les avec le reste des coques. Réservez au frais quelques heures.

Variante | Remplacez les cerises au sirop par 2 cuillerées à soupe de confiture de griottes.

Macaron chocolat-vanille

Pour **une vingtaine de petits macarons**
Préparation **1 heure** | Repos **1 heure**
Cuisson **20 minutes** | Niveau **difficile**

Pour les coques | 3 blancs d'œufs à température ambiante | 30 g de sucre en poudre | 200 g de sucre glace | 125 g de poudre d'amande | 2 cuil. à soupe de cacao non sucré | 4 gouttes de colorant alimentaire rouge

Pour la crème à la vanille | 2 jaunes d'œufs | 100 g de sucre en poudre 1/2 litre de lait | 25 g de Maïzena® | 50 g de beurre | 1 gousse de vanille

Préparez les coques au chocolat en suivant la recette des macarons au chocolat noir (voir recette, p. 10).

Préparez la crème à la vanille. Fouettez les jaunes d'œufs avec le sucre. Délayez la Maïzena® dans un peu de lait. Versez ces ingrédients dans une casserole avec le reste de lait. Fendez la vanille en deux dans la longueur et grattez les graines avec le plat d'un couteau. Versez-les dans le lait. Faites cuire la crème à feu moyen en mélangeant sans cesse jusqu'à ce qu'elle épaississe. Hors du feu, incorporez le beurre. Laissez refroidir.

Au moment de garnir les coques, fouettez la crème à la vanille pour l'aérer. Garnissez la moitié des coques avec de la crème et assemblez-les avec le reste des coques. Réservez au frais quelques heures avant de déguster.

Macaron chocolat-menthe

Pour **une vingtaine**
de petits macarons
Préparation **1 heure**
Repos **1 heure**
Cuisson **17 minutes**
Niveau **difficile**

40 coques au chocolat noir (voir recette, p. 10) ou à la pistache (voir recette, p. 30).

Pour la ganache chocolat-menthe
200 g de chocolat noir | 10 cl de crème liquide | 2 branches de menthe | 20 g de beurre

Préparez la ganache. Portez la crème à ébullition. Ajoutez les feuilles de menthe et faites infuser hors du feu 1 h. Retirez-les, remettez la crème à chauffer, ajoutez le chocolat et le beurre. Hors du feu, fouettez la crème. Laisser refroidir.

Garnissez les coques avec de la ganache. Réservez au frais quelques heures.

Variante | Vous pouvez parfumer la ganache avec 1 cuillerée à soupe de Get 27®.

Macaron chocolat-orange

Pour **une vingtaine**
de petits macarons
Préparation **1 heure**
Repos **1 heure**
Cuisson **17 minutes**
Niveau **difficile**

40 coques au chocolat noir (voir recette, p. 10)

Pour la ganache chocolat-orange
200 g de chocolat noir | 50 g de beurre
50 g d'écorces d'oranges confites

Préparez la ganache chocolat-orange. Faites fondre le chocolat et le beurre au bain-marie. Hors du feu, fouettez jusqu'à obtention d'une crème lisse. Incorporez les écorces d'oranges en dés. Laissez refroidir au frais.

Garnissez la moitié des coques avec de la ganache. Assemblez-les avec le reste des coques. Réservez au frais quelques heures avant de déguster.

Variante | Ajoutez 1 cuillerée à soupe de Grand Marnier à la ganache.

Macaron à la framboise

Pour **une vingtaine de petits macarons**
Préparation **1 heure** | Repos **1 heure**
Cuisson **20 minutes** | Niveau **difficile**

Pour les coques | 3 blancs d'œufs à température ambiante | 30 g de sucre en poudre | 200 g de sucre glace | 125 g de poudre d'amande | 20 gouttes de colorant rouge

Pour la confiture de framboises | 250 g de framboises | 70 g de sucre

Matériel | Papier sulfurisé | Poche à douille

Préparez la confiture. Essuyez les framboises dans un linge. Mettez-les dans une casserole avec le sucre. Laissez compoter à feu doux 10 min en remuant régulièrement.

Préparez les coques. Mélangez le sucre glace et la poudre d'amande. Mixez, puis tamisez. Montez les blancs d'œufs en neige avec 10 g de sucre à vitesse moyenne. Quand ils commencent à prendre, ajoutez le reste du sucre. Quand ils sont fermes, ajoutez le colorant. Avec une spatule en silicone, incorporez-les à la poudre en soulevant la pâte jusqu'à ce qu'elle soit souple.

Versez dans une poche à douille. Dressez des tas de pâte d'environ 3 cm de diamètre sur 2 plaques de four recouvertes de papier sulfurisé. Réservez 1 h à température ambiante. Préchauffez le four à 160 °C (th. 5/6). Enfournez 10 min.

Laissez les coques refroidir avant de les décoller. Garnissez-en la moitié avec de la confiture de framboises et assemblez-les avec une coque vide. Réservez au frais quelques heures avant de déguster.

Conseil | Pas de framboises fraîches ? Remplacez-les par des brisures de framboises surgelées ou une bonne confiture du commerce.

Variante | Saupoudrez les coques de noix de coco râpée avant de les cuire.

Macaron à la noix de coco

Pour **une vingtaine
de petits macarons**
Préparation **1 heure**
Repos **1 heure**
Cuisson **15 minutes**
Niveau **difficile**

Pour les coques | Ingrédients de la recette de base (p. 8) | 20 g de noix de coco râpée

Pour la crème coco | 150 g de chocolat blanc de couverture | 10 cl de crème de coco (Kara®) | 50 g de noix de coco râpée

Préparez la crème coco. Faites bouillir la crème de coco. Hors du feu, ajoutez le chocolat et mélangez pour qu'il fonde. Ajoutez la noix de coco râpée. Laissez refroidir, puis réservez au frais.

Préparez les coques selon la recette de base (p. 8). Avant de les faire « croûter », parsemez-les de noix de coco râpée. Enfournez 10 min à 150 °C (th. 5). Garnissez la moitié des coques avec de la ganache et assemblez-les avec une coque vide. Réservez quelques heures au frais.

Macaron ananas-coco

Pour **une vingtaine
de petits macarons**
Préparation **1 heure**
Repos **1 heure**
Cuisson **15 minutes**
Niveau **difficile**

Pour les coques | Ingrédients de la recette de base (p. 8) | 20 gouttes de colorant jaune | 20 g de coco râpée

Pour la crème ananas-coco | 150 g de chocolat blanc de couverture | 10 cl de crème liquide | 50 g de noix de coco râpée | 1 cuil. à soupe de Malibu® à l'ananas (ou jus d'ananas)

Préparez la crème ananas-coco. Faites bouillir la crème. Hors du feu, incorporez le chocolat, la noix de coco râpée et le Malibu®. Réservez au frais.

Préparez les coques (recette de base, p. 8) avec du colorant jaune. Saupoudrez-les de noix de coco râpée avant de les faire « croûter ». Faites cuire 10 min à 150 °C (th. 5). Garnissez les coques avec de la crème. Réservez au frais.

Macaron au citron

Pour **une vingtaine de petits macarons**
Préparation **1 heure** | Repos **1 heure**
Cuisson **15 minutes** | Niveau **difficile**

Pour les coques | 3 blancs d'œufs à température ambiante | 30 g de sucre en poudre | 200 g de sucre glace | 125 g de poudre d'amande | 20 gouttes de colorant jaune

Pour la crème au citron | 1 citron non traité | 2 jaunes d'œufs | 60 g de sucre en poudre | 60 g de beurre

Matériel | Papier sulfurisé | Poche à douille

Préparez la crème au citron. Râpez le zeste du citron et pressez son jus. Fouettez les jaunes d'œufs avec le sucre. Versez dans une petite casserole avec le jus et le zeste de citron. Portez à ébullition en mélangeant sans cesse. Baissez le feu et laissez cuire 5 min. Hors du feu, incorporez le beurre. Versez dans un bol et réservez au froid.

Préparez les coques. Mixez, puis tamisez le sucre glace et la poudre d'amande. Montez les blancs d'œufs en neige ferme en incorporant en trois fois le sucre en poudre. Terminez en leur ajoutant le colorant. Avec une spatule en silicone, incorporez les blancs en neige à la poudre. Procédez délicatement en soulevant la pâte.

Versez dans une poche à douille et dressez des tas de pâte d'environ 3 cm de diamètre sur 2 plaques recouvertes de papier sulfurisé. Laissez sécher 1 h. Préchauffez le four à chaleur tournante à 150 °C (th. 5). Enfournez 10 min.

Laissez refroidir avant de décoller les coques. Garnissez-en la moitié de crème au citron et assemblez-les avec le reste des coques vides. Réservez quelques heures au frais avant de déguster.

Macaron à la pistache

Pour **une vingtaine de petits macarons**
Préparation **1 heure** | Repos **1 heure**
Cuisson **10 minutes** | Niveau **difficile**

Pour les coques | 3 blancs d'œufs à température ambiante | 30 g de sucre en poudre | 200 g de sucre glace | 125 g de poudre d'amande | 20 gouttes de colorant vert | 2 cuil. à soupe de poudre de pistache

Pour la crème à la pistache | 120 g de beurre | 120 g de poudre de pistache 80 g de sucre glace

Matériel | Papier sulfurisé | Poche à douille

Préparez la crème à la pistache. Avec une fourchette, travaillez le beurre pour lui donner la consistance d'une pommade. Incorporez la poudre de pistache et le sucre glace et mélangez jusqu'à obtention d'une crème homogène. Réservez au frais.

Préparez les coques. Mixez et tamisez ensemble la poudre d'amande et le sucre glace. Montez les blancs d'œufs en neige avec 10 g de sucre. Quand ils commencent à prendre, ajoutez le reste de sucre. Incorporez-leur le colorant. Mélangez délicatement les blancs avec la poudre en utilisant une spatule en silicone et en soulevant la pâte. Versez dans une poche à douille et dressez des tas de pâte d'environ 3 cm de diamètre sur 2 plaques recouvertes de papier sulfurisé. Parsemez de poudre de pistache. Laissez sécher 1 h. Préchauffez le four à chaleur tournante à 160 °C (th. 5/6). Enfournez 10 min.

Laissez refroidir avant de décoller les coques. Garnissez-en la moitié de crème à la pistache et assemblez-les avec le reste des coques vides. Réservez quelques heures au frais avant de déguster.

Conseil | Pour une couleur plus pastel, ajoutez quelques gouttes de colorant jaune.

Macaron au café

Pour **une vingtaine de petits macarons**
Préparation **1 heure** | Repos **1 heure**
Cuisson **20 minutes** | Niveau **difficile**

Pour les coques | 3 blancs d'œufs à température ambiante | 30 g de sucre en poudre | 200 g de sucre glace | 125 g de poudre d'amande | 1 goutte d'extrait de café liquide

Pour la crème au café | 2 jaunes d'œufs | 100 g de sucre en poudre | 1/2 litre de lait | 25 g de Maïzena® | 50 g de beurre | 1 cuil. à café d'extrait de café liquide

Préparez les coques au café en suivant la recette de base (p. 8) et en la parfumant avec l'extrait de café.

Préparez la crème au café. Fouettez les jaunes d'œufs avec le sucre. Délayez la Maïzena® dans un peu de lait. Versez ces ingrédients dans une casserole avec le reste de lait et l'extrait de café. Faites cuire la crème à feu moyen en mélangeant sans cesse jusqu'à ce qu'elle épaississe. Hors du feu, incorporez le beurre. Laissez refroidir.

Au moment de garnir les coques, fouettez la crème au café pour l'aérer. Garnissez la moitié des coques avec de la crème au café et assemblez-les avec le reste des coques. Réservez au frais quelques heures avant de déguster.

Conseil | Décorez chaque macaron avec un grain de café au sucre en le collant avec du sucre glace délayé dans un peu d'eau.

Macaron à la myrtille

Pour **une vingtaine de macarons**
Préparation **1 heure** | Repos **1 heure**
Cuisson **12 minutes** | Niveau **difficile**

Pour les coques | 3 blancs d'œufs à température ambiante | 30 g de sucre en poudre | 200 g de sucre glace | 125 g de poudre d'amande | 1 pointe de couteau de colorant en poudre violet

Pour la crème à la myrtille | 4 cuil. à soupe de bonne confiture de myrtilles 2 cuil. à soupe de mascarpone

Matériel | Papier sulfurisé | Poche à douille

Préparez les coques. Mixez et tamisez le sucre glace et la poudre d'amande. Ajoutez le colorant en poudre. Montez les blancs d'œufs en neige avec 10 g de sucre. Quand ils commencent à prendre, ajoutez le reste de sucre. Avec une spatule en silicone, incorporez délicatement les blancs au mélange de sucre glace et de poudre d'amande.

Tapissez 2 plaques à pâtisserie de papier sulfurisé. Collez-le avec un peu de blanc d'œuf. Avec une poche à douille, dressez des tas de pâte d'environ 3 cm de diamètre en les espaçant régulièrement. Posez chaque plaque sur la grille du four. Réservez 1 h à température ambiante. Préchauffez le four à 160 °C (th. 5/6). Enfournez 12 min. Laissez refroidir.

Préparez la crème à la myrtille. Mélangez la confiture et le mascarpone. Garnissez la moitié des coques avec 1 cuillerée à café de crème. Assemblez-les avec le reste des coques vides. Réservez au frais jusqu'au moment de déguster.

Macaron à la vanille

Pour **une vingtaine
de petits macarons**
Préparation **1 heure**
Repos **1 heure**
Cuisson **15 minutes**
Niveau **difficile**

Pour les coques | Ingrédients de la recette de base (p. 8) | 1/2 gousse de vanille

Pour la crème à la vanille | 2 jaunes d'œufs | 100 g de sucre en poudre 1/2 litre de lait | 25 g de Maïzena® 50 g de beurre | 1/2 gousse de vanille

Préparez les coques en suivant la recette de base (p. 8) en la parfumant avec les graines de la gousse de vanille grattée. Faites cuire 10 min à 150 °C (th. 5).

Préparez la crème en suivant la recette du macaron chocolat-vanille (p. 20).

Au moment de garnir les coques, fouettez la crème à la vanille pour l'aérer. Garnissez la moitié des coques et assemblez-les avec le reste des coques. Réservez au frais quelques heures.

Macaron à la confiture de lait

Pour **une vingtaine
de petits macarons**
Préparation **1 heure**
Repos **1 heure**
Cuisson **3 heures**
Niveau **difficile**

40 coques nature (recette de base, p. 8)
Pour la confiture de lait | 1 boîte de lait concentré sucré

Préparez la confiture de lait. Ouvrez la boîte de lait concentré. Posez-la dans une casserole. Ajoutez de l'eau jusqu'à 3 cm du bord. Faites cuire pendant 3 h à petits bouillons en rajoutant régulièrement de l'eau. Laissez refroidir.

Garnissez la moitié des coques vides avec de la confiture de lait et assemblez avec le reste des coques. Réservez au frais quelques heures avant de déguster.

Variante | Vous pouvez utiliser une confiture de lait du commerce.

Macaron au caramel au beurre salé

Pour **une vingtaine de petits macarons**
Préparation **1 heure** | Repos **1 heure**
Cuisson **17 minutes** | Niveau **difficile**

Pour les coques | 3 blancs d'œufs à température ambiante | 30 g de sucre en poudre | 200 g de sucre glace | 125 g de poudre d'amande | 1 cuil. à soupe de cacao tamisé

Pour le caramel au beurre salé | 100 g de sucre en poudre | 10 cl de crème liquide | 50 g de beurre salé

Préparez le caramel au beurre salé. Faites fondre le sucre dans une casserole à bords hauts. Quand il a une belle coloration blonde, versez la crème en deux ou trois fois et en surveillant car le mélange bouillonne et peut déborder. Hors du feu, incorporez le beurre coupé en dés. Fouettez pour avoir un mélange bien lisse. Laissez refroidir.

Préparez les coques en suivant la recette de base (p. 8) en ajoutant le cacao au mélange de poudre d'amande et de sucre glace. Garnissez la moitié des coques avec du caramel et assemblez-les avec le reste des coques. Réservez au frais quelques heures avant de déguster.

Variante | Sur cette base, préparez des Mac'Fingers. Dressez des tas de pâte allongés de 5 cm. Garnissez-les de caramel. Assemblez-les et recouvrez-les de 200 g de ganache au chocolat.

Mac'Calisson

Pour **une vingtaine
de petits macarons**
Préparation **1 heure**
Repos **1 heure**
Cuisson **10 minutes**
Niveau **difficile**

1 pot de crème de calisson (Confiserie du Roy René, en épicerie fine)

Pour les coques | 3 blancs d'œufs à température ambiante | 30 g de sucre en poudre | 200 g de sucre glace | 125 g de poudre d'amande | 20 gouttes de colorant jaune

Préparez les coques en suivant la recette de base (p. 8) et en colorant la pâte en jaune. Laissez refroidir les coques avant de les décoller. Garnissez-en la moitié avec de la crème de calisson et assemblez-les avec le reste des coques vides. Réservez quelques heures au frais avant de déguster.

Macaron vanille-fraise

Pour **une vingtaine
de petits macarons**
Préparation **1 heure**
Repos **1 heure**
Cuisson **10 minutes**
Niveau **difficile**

40 coques à la vanille (voir recette du macaron à la vanille, p. 36) | 1 pot de bonne confiture de fraises

Préparez les coques à la vanille en suivant la recette de la p. 36.

Garnissez la moitié des coques avec de la confiture et assemblez-les avec le reste des coques vides. Réservez au frais avant de déguster.

Variante | Saupoudrez les coques de sucre rose (épicerie fine) avant de les cuire.

Macaron à la rose

Pour **une vingtaine de petits macarons**
Préparation **1 heure** | Repos **12 heures**
Cuisson **15 minutes** | Niveau **difficile**

Pour les coques | Ingrédients de la recette de base (p. 8) | 20 gouttes de colorant rouge

Pour la crème à la rose | 5 boutons de roses séchées | 20 cl de crème liquide entière | 1 cuil. à soupe d'eau de rose (en épicerie orientale) | 5 gouttes de colorant rouge

Matériel | Papier sulfurisé | Poche à douille

Préparez la crème à la rose. Écrasez les boutons de rose entre vos doigts et versez-les dans 5 cl de crème. Portez à ébullition. Retirez du feu et laissez infuser jusqu'à complet refroidissement. Filtrez la crème et réservez 12 h au frais.

Montez le reste de crème, très froid, en chantilly. Quand elle commence à prendre, ajoutez la crème à la rose, l'eau de rose et le colorant. Continuez à fouetter jusqu'à obtention d'une chantilly bien ferme. Réservez au frais.

Préparez les coques. Mixez et tamisez ensemble la poudre d'amande et le sucre glace. Montez les blancs d'œufs en neige avec 10 g de sucre. Quand ils commencent à prendre, ajoutez le reste de sucre. Incorporez le colorant. Mélangez délicatement les blancs avec la poudre en utilisant une spatule en silicone et en soulevant la pâte. Avec une poche à douille, dressez des tas de pâte d'environ 3 cm de diamètre sur 2 plaques recouvertes de papier sulfurisé. Laissez sécher 1 h. Enfournez 10 min à 150 °C (th. 5). Laissez refroidir. Garnissez la moitié des coques avec de la chantilly à la rose. Assemblez-les avec le reste des coques vides. Réservez au frais.

Conseils | Collez un pétale de rose sur les macarons avec une pointe de chantilly et saupoudrez-les de poudre de biscuit rose de Reims. Pour une version express, utilisez du confit de pétales de rose (Monoprix Gourmet®) mélangé à de la crème fouettée.

Macaron rose-litchi

Pour **une vingtaine
de petits macarons**
Préparation **1 heure**
Repos **1 heure**
Cuisson **15 minutes**
Niveau **difficile**

40 coques de macarons roses
(voir recette du macaron à la rose, p. 42)

Pour la crème rose-litchi | 10 litchis
100 g de chocolat blanc | 5 cl de crème
liquide | 20 g de beurre | 1 cuil. à soupe
d'eau de rose (épicerie orientale)

Épluchez les litchis, dénoyautez-les et réduisez-les en purée. Portez la crème à ébullition. Hors du feu, ajoutez le chocolat en morceaux, puis le beurre et fouettez pour obtenir une crème lisse. Parfumez avec l'eau de rose et la purée de litchis. Réservez au frais jusqu'à ce que la crème soit prise.

Garnissez la moitié des coques avec de la crème. Assemblez-les avec le reste des coques. Réservez au frais quelques heures.

Macaron au jasmin

Pour **une vingtaine
de petits macarons**
Préparation **1 heure**
Repos **1 heure**
Cuisson **15 minutes**
Niveau **difficile**

40 coques nature
(voir recette de base, p. 8)

Pour la crème au jasmin | 100 g de
chocolat blanc | 5 cl de crème liquide
20 g de beurre | 2 gouttes d'essence
de jasmin (épicerie asiatique)

Préparez la crème au jasmin. Portez la crème à ébullition. Hors du feu, ajoutez le chocolat en morceaux, puis le beurre et fouettez pour obtenir une crème lisse. Parfumez avec l'essence de jasmin. Réservez au frais jusqu'à ce que la crème soit prise.

Garnissez la moitié des coques avec de la crème. Assemblez-les avec le reste des coques. Réservez au frais quelques heures avant de déguster.

Macaron orange-fleur d'oranger

Pour **une vingtaine de petits macarons**
Préparation **1 heure** | Repos **1 heure**
Cuisson **15 minutes** | Niveau **difficile**

Pour les coques | 3 blancs d'œufs à température ambiante | 30 g de sucre en poudre | 200 g de sucre glace | 125 g de poudre d'amande | 20 gouttes de colorant jaune | 10 gouttes de colorant rouge

Pour la crème à l'orange-fleur d'oranger | 1 orange non traitée | 2 jaunes d'œufs | 60 g de sucre en poudre | 1 cuil. à café d'eau de fleur d'oranger | 60 g de beurre

Matériel | Papier sulfurisé | Poche à douille

Préparez la crème à l'orange. Râpez le zeste de l'orange et pressez son jus. Fouettez les jaunes d'œufs avec le sucre. Versez dans une petite casserole avec la moitié du jus et le zeste. Portez à ébullition en mélangeant sans cesse. Baissez le feu et laissez cuire 5 min. Hors du feu, incorporez l'eau de fleur d'oranger, puis le beurre. Versez dans un bol et réservez au froid.

Préparez les coques. Mixez, puis tamisez le sucre glace et la poudre d'amande. Montez les blancs d'œufs en neige ferme en incorporant en trois fois le sucre en poudre. Terminez en leur ajoutant les colorants. Avec une spatule en silicone, incorporez les blancs en neige à la poudre. Procédez délicatement en soulevant la pâte.

Versez dans une poche à douille. Dressez des tas de pâte d'environ 3 cm de diamètre sur 2 plaques recouvertes de papier sulfurisé. Laissez sécher 1 h. Préchauffez le four à chaleur tournante à 150 °C (th. 5). Enfournez 10 min.

Laissez refroidir avant de décoller les coques. Garnissez-en la moitié de crème à l'orange et assemblez-les avec le reste des coques vides. Réservez quelques heures au frais avant de déguster.

Macaron au thé matcha

Pour **une vingtaine de petits macarons**
Préparation **1 heure** | Repos **1 heure**
Cuisson **15 minutes** | Niveau **difficile**

Pour les coques | 3 blancs d'œufs à température ambiante | 30 g de sucre
en poudre | 200 g de sucre glace | 125 g de poudre d'amande | 1 cuil. à café
de poudre de thé matcha | 10 gouttes de colorant vert

Pour la crème au thé | 100 g de chocolat blanc | 5 cl de crème liquide
20 g de beurre | 1 cuil. à café de poudre de thé matcha

Matériel | Papier sulfurisé | Poche à douille

Préparez la crème au thé. Portez la crème à ébullition. Hors du feu, ajoutez le
chocolat en morceaux, puis le beurre et la poudre de thé. Fouettez pour
obtenir une crème lisse. Réservez au frais jusqu'à ce que la crème soit prise.

Préparez les coques. Mixez et tamisez le sucre glace, la poudre d'amande et la
poudre de thé. Montez les blancs d'œufs en neige avec 10 g de sucre. Quand
ils commencent à prendre, ajoutez le reste de sucre. Incorporez le colorant.
Avec une spatule en silicone, incorporez délicatement les blancs au mélange
de sucre glace et de poudre d'amande.

Tapissez 2 plaques à pâtisserie de papier sulfurisé. Collez-le avec un peu de
blanc d'œuf. Avec une poche à douille, dressez des tas de pâte d'environ 3 cm
de diamètre en les espaçant régulièrement. Posez chaque plaque sur la grille
du four. Réservez 1 h à température ambiante.

Préchauffez le four à 160 °C (th. 5/6). Enfournez chaque plaque 10 min. Laissez
refroidir avant de décoller les coques. Garnissez la moitié des coques avec de
la crème au thé. Assemblez-les avec le reste des coques. Réservez au frais
quelques heures avant de déguster.

Conseil | Le thé matcha est de la poudre de thé vert. On le trouve
en épicerie fine et en boutique de thé. En pâtisserie, vous pouvez
l'incorporer à une pâte à gâteau, type quatre-quarts.

Macaron bubble gum

Pour **une vingtaine de petits macarons**
Préparation **1 heure** | Repos **24 heures**
Cuisson **15 minutes** | Niveau **difficile**

Pour les coques | 3 blancs d'œufs à température ambiante | 30 g de sucre en poudre | 200 g de sucre glace | 125 g de poudre d'amande | 1 pointe de couteau de colorant en poudre bleu

Pour la crème bubble gum | 50 g de bonbons Bubblizz (Lutti®) | 20 cl de crème liquide | 1 pointe de couteau de colorant en poudre bleu

Matériel | Papier sulfurisé | Poche à douille

Préparez la crème bubble gum. Versez la crème dans une casserole avec les bonbons. Faites chauffer en mélangeant jusqu'à ce que les bonbons soient fondus. Incorporez le colorant. Laissez refroidir, puis réservez au frais.

Préparez les coques. Mixez et tamisez le sucre glace avec la poudre d'amande et le colorant. Montez les blancs d'œufs en neige ferme en incorporant en trois fois le sucre. Avec une spatule en silicone, mélangez délicatement les blancs à la poudre, en soulevant la pâte.

Tapissez 2 plaques de four de papier sulfurisé. Collez-le avec un peu de blanc d'œuf. Versez la pâte dans une poche à douille et dressez des tas de pâte d'environ 3 cm de diamètre en les espaçant régulièrement. Posez chaque plaque sur une grille. Réservez 1 h à température ambiante.

Préchauffez le four à 160 °C (th. 5/6). Enfournez chaque plaque 10 min. Laissez refroidir avant de décoller les macarons.

Fouettez la crème pour la rendre lisse. Garnissez-en la moitié des coques et assemblez-les avec les coques vides. Réservez 24 h avant de déguster.

Conseil | Faites fondre les bonbons à feu doux en remuant sans cesse.

Macaron marrons-whisky

Pour **une vingtaine
de petits macarons**
Préparation **1 heure**
Repos **1 heure**
Cuisson **10 minutes**
Niveau **difficile**

40 coques nature
(voir recette de base, p. 8)

Pour la crème aux marrons-whisky
1 petite boîte de crème de marrons
5 cl de crème liquide entière | 1 cuil. à
café de whisky

Fouettez la crème liquide très froide
jusqu'à l'obtention d'une chantilly.
Mélangez avec la crème de marrons.
Parfumez de whisky. Réservez au frais.

Garnissez la moitié des coques vides
avec cette crème. Assemblez-les avec le
reste des coques vides. Réservez au frais
jusqu'au moment de servir.

Conseils | Avant cuisson, saupoudrez
les coques de cacao amer tamisé.
Incorporez à la crème des brisures
de marrons glacés.

Macaron pomme-poire-noix

Pour **une vingtaine
de petits macarons**
Préparation **1 heure**
Repos **1 heure**
Cuisson **25 minutes**
Niveau **difficile**

40 coques nature (voir recette de base,
p. 8) | 1 cuil. à café de cannelle

Pour la compote pommes-poires
2 pommes | 2 poires | 20 g de beurre
1 cuil. à soupe de miel liquide | 50 g de
noix concassées

Préparez des coques nature en parfumant
la pâte de cannelle (ou de gingembre ou
de vanille).

Pelez et épépinez les pommes et les
poires. Coupez-les en petits dés. Faites-
les compoter avec le beurre, à feu doux,
15 min. Ajoutez le miel et les noix.
Laissez refroidir.

Garnissez les coques avec cette compote
et réservez au frais.

Macaron au spéculos

Pour **une vingtaine de petits macarons**
Préparation **1 heure** | Repos **1 heure**
Cuisson **15 minutes** | Niveau **difficile**

Pour les coques | 3 blancs d'œufs à température ambiante | 30 g de sucre en poudre | 200 g de sucre glace | 125 g de poudre d'amande | 1/2 cuil. à café de cannelle | 1/4 de cuil. à café de gingembre | 1 clou de girofle
1 pot de crème au spéculos (épicerie fine)

Matériel | Papier sulfurisé | Poche à douille

Préparez les coques. Écrasez le clou de girofle. Mixez et tamisez le sucre glace avec la poudre d'amande et les épices. Montez les blancs d'œufs en neige ferme en incorporant en trois fois le sucre. Avec une spatule en silicone, mélangez délicatement les blancs à la poudre, en soulevant la pâte.

Tapissez 2 plaques de four de papier sulfurisé. Si nécessaire, collez-le avec un peu de blanc d'œuf. Versez la pâte dans une poche à douille et dressez des tas de pâte d'environ 3 cm de diamètre en les espaçant régulièrement. Posez chaque plaque sur une grille. Réservez 1 h à température ambiante.

Préchauffez le four à 160 °C (th. 5/6). Enfournez chaque plaque 10 min. Laissez refroidir avant de décoller les macarons.

Garnissez la moitié des coques avec de la crème au spéculos et assemblez-les avec le reste des coques vides. Réservez quelques heures au frais avant de déguster.

Variante | Avant la cuisson, parsemez les coques de 5 spéculos réduits en poudre.

Macaron aux petits pois à la menthe

Pour **une vingtaine de petits macarons**
Préparation **1 heure** | Repos **1 heure**
Cuisson **20 minutes** | Niveau **difficile**

Pour les coques | 3 blancs d'œufs à température ambiante | 30 g de sucre en poudre | 200 g de sucre glace | 125 g de poudre d'amande | 20 gouttes de colorant vert

Pour la mousse de petits pois à la menthe | 150 g de petits pois (frais ou surgelés) | 5 cl de crème liquide | 2 brins de menthe | Sel, poivre

Matériel | Papier sulfurisé | Poche à douille

Préparez les coques. Mixez et tamisez le sucre glace avec la poudre d'amande. Montez les blancs d'œufs en neige ferme en incorporant en trois fois le sucre. Avec une spatule en silicone, mélangez délicatement les blancs et le colorant à la poudre, en soulevant la pâte.

Tapissez 2 plaques de four de papier sulfurisé. Collez-le avec un peu de blanc d'œuf. Versez la pâte dans une poche à douille et dressez des tas de pâte d'environ 3 cm de diamètre en les espaçant régulièrement. Posez chaque plaque sur une grille. Réservez 1 h à température ambiante. Préchauffez le four à 160 °C (th. 5/6). Enfournez chaque plaque 10 min. Laissez refroidir avant de décoller les macarons.

Préparez la mousse de petits pois. Faites cuire les petits pois dans de l'eau bouillante salée (8 min s'ils sont frais, 12 min s'ils sont surgelés). Égouttez-les et réduisez-les en purée. Assaisonnez de sel, poivre et menthe hachée. Fouettez la crème très froide en chantilly. Mélangez avec la purée de petits pois. Laissez refroidir.

Garnissez la moitié des coques vides avec cette mousse. Assemblez-les avec le reste des coques. Réservez quelques heures au frais.

Macaron aux noix et au roquefort

Pour **une vingtaine**
de petits macarons
Préparation **1 heure**
Repos **1 heure**
Cuisson **10 minutes**
Niveau **difficile**

40 coques nature
(voir recette de base, p. 8)
Pour la préparation roquefort-noix
100 g de roquefort | 100 g de mascarpone
90 g de noix concassées | Poivre

Écrasez le roquefort à la fourchette et mélangez-le au mascarpone. Incorporez les noix. Poivrez.

Garnissez la moitié des coques vides avec cette crème. Assemblez avec le reste des coques vides. Réservez quelques heures au frais avant de déguster.

Variante | Incorporez une 1/2 poire coupée en dés à la crème.

Macaron au chèvre et au basilic

Pour **une vingtaine**
de petits macarons
Préparation **1 heure**
Repos **1 heure**
Cuisson **10 minutes**
Niveau **difficile**

40 coques nature
(voir recette de base, p. 8)
Pour la préparation au chèvre
1 fromage de chèvre (type Chavroux®)
5 cl de crème liquide | 4 branches de basilic | 2 cuil. à soupe d'huile d'olive
Poivre

Effeuillez et hachez le basilic. Écrasez le fromage de chèvre à la fourchette avec le basilic haché et l'huile d'olive. Poivrez. Montez la crème en chantilly et incorporez-la au chèvre. Garnissez la moitié des coques avec cette crème. Assemblez-les avec le reste des coques. Réservez quelques heures au frais avant de déguster.

Macaron au saumon mariné aux baies roses

Pour **une vingtaine de petits macarons**
Préparation **1 heure** | Repos **3 heures**
Cuisson **10 minutes** | Niveau **difficile**

Pour les coques | 40 coques nature (voir recette de base, p. 8) | 20 gouttes de colorant rouge | 10 gouttes de colorant jaune

Pour le tartare de saumon | 300 g de saumon frais sans peau | 1 cuil. à café de baies roses | Le jus de 1 citron vert non traité | 4 brins d'aneth | 2 cuil. à soupe d'huile d'olive | 100 g de crème fraîche | 1 cuil. à café de wasabi

Retirez toutes les arêtes du saumon. Hachez-le au couteau. Assaisonnez-le avec les baies roses concassées, le jus de citron, l'aneth ciselé et l'huile d'olive. Couvrez et réservez 3 h au frais.

Fouettez la crème fraîche avec le wasabi. Garnissez la moitié des coques avec une noisette de crème et 1 cuillerée à café de tartare de saumon. Recouvrez d'une coque vide et servez aussitôt.

Conseil | Organisez-vous en préparant les coques et le tartare de saumon à l'avance ; vous n'aurez plus qu'à monter les macarons au dernier moment.
Le wasabi est le condiment japonais qui accompagne les sushis.

Macaron
du Petit Chaperon Rouge

Pour **une vingtaine de petits macarons**
Préparation **1 heure** | Repos **1 heure**
Cuisson **10 minutes** | Niveau **difficile**

Pour les coques | 3 blancs d'œufs à température ambiante | 30 g de sucre en poudre | 200 g de sucre glace | 125 g de poudre d'amande | 1 cuil. à café de concentré de tomates | 30 gouttes de colorant rouge | 2 cuil. à soupe de poudre de tomates séchées ou de parmesan râpé (facultatif)

Pour la crème de tomate confite | 100 g de tomates confites à l'huile 4 cuil. à soupe de parmesan râpé | 2 cuil. à soupe d'huile d'olive

Matériel | Papier sulfurisé | Poche à douille

Préparez les coques. Mixez et tamisez le sucre glace avec la poudre d'amande. Montez les blancs d'œufs en neige ferme en incorporant en 3 fois le sucre. Avec une spatule en silicone, mélangez délicatement les blancs à la poudre, en soulevant la pâte. Ajoutez le colorant et le concentré de tomates.

Tapissez 2 plaques de four de papier sulfurisé. Si nécessaire, collez-le avec un peu de blanc d'œuf. Versez la pâte dans une poche à douille et dressez des tas de pâte d'environ 3 cm de diamètre en les espaçant régulièrement. Posez chaque plaque sur une grille. Saupoudrez de poudre de tomates (ou de parmesan). Réservez 1 h. Préchauffez le four à 160 °C (th. 5/6). Enfournez chaque plaque 10 min. Laissez refroidir avant de décoller les macarons.

Préparez la crème de tomate. Égouttez les tomates et mixez-les pour les réduire en purée. Ajoutez le parmesan et délayez avec l'huile.

Garnissez la moitié des coques vides avec cette crème. Assemblez-les avec le reste des coques. Réservez quelques heures au frais avant de déguster

Variante | Vous pouvez ajouter de la crème de chèvre (voir recette, p. 58) ou de la mozzarella.

Macaron aux carottes et au cumin

Pour **une vingtaine de petits macarons**
Préparation **1 heure** | Repos **1 heure**
Cuisson **20 minutes** | Niveau **difficile**

Pour les coques | 3 blancs d'œufs à température ambiante | 30 g de sucre en poudre | 200 g de sucre glace | 125 g de poudre d'amande | 1 pointe de couteau de curcuma | 1 cuil. à soupe de graines de cumin

Pour la crème de carotte | 500 g de carottes | 10 cl de crème | Sel, poivre

Matériel | Papier sulfurisé | Poche à douille

Préparez les coques. Mixez et tamisez le sucre glace avec la poudre d'amande et le curcuma. Montez les blancs d'œufs en neige ferme en incorporant en 3 fois le sucre. Avec une spatule en silicone, mélangez délicatement les blancs à la poudre, en soulevant la pâte.

Tapissez 2 plaques de four de papier sulfurisé. Versez la pâte dans une poche à douille et dressez des tas de pâte d'environ 3 cm de diamètre en les espaçant régulièrement. Posez chaque plaque sur une grille. Saupoudrez de graines de cumin. Réservez 1 h à température ambiante. Préchauffez le four à 160 °C (th. 5/6). Enfournez chaque plaque pour 10 min. Laissez refroidir avant de décoller les macarons.

Préparez la crème de carotte. Épluchez les carottes, coupez-les en tronçons et faites-les cuire 10 min à l'eau bouillante. Égouttez et réduisez-les en purée. Ajoutez la crème. Salez, poivrez.

Garnissez la moitié des coques vides avec cette crème. Assemblez-les avec le reste des coques. Réservez quelques heures au frais avant de déguster.

Variante | Pour une version carotte-coco, remplacez la crème par du lait de coco. Pour une couleur plus prononcée, utilisez 10 gouttes de colorant jaune et 5 de rouge.

Macaron glacé au foie gras

Pour **une vingtaine de petits macarons**
Préparation **1 heure**
Repos **1 heure**
Cuisson **10 minutes**
Niveau **difficile**

40 coques nature (recette de base, p. 8)
1/4 cuil. à café de mélange quatre-épices
250 ml de glace au foie gras (L. Angelys, en grandes surfaces)

Préparez les coques en suivant la recette de base (p. 8) et en les parfumant de mélange quatre-épices.

Garnissez la moitié des coques vides et refroidies avec de la glace au foie gras. Assemblez-les avec le reste des coques et servez aussitôt.

Mac'dattes foie gras

Pour **une vingtaine de petits macarons**
Préparation **1 heure**
Repos **1 heure**
Cuisson **15 minutes**
Niveau **difficile**

Pour les coques | 40 coques nature (recette de base, p. 8) | 1/2 cuil. à café de quatre-épices

Pour la préparation dattes-foie gras
4 branches de dattes | 15 g de beurre
1 cuil. à soupe de miel liquide | 1 pincée de mélange quatre-épices | 100 g de foie gras mi-cuit

Préparez les coques nature en les parfumant de quatre-épices.

Dénoyautez les dattes et hachez-les au couteau. Faites-les cuire à feu doux 5 min dans le beurre. Assaisonnez de miel et de mélange quatre-épices.

Garnissez les coques avec des dattes et 1 morceau de foie gras et servez aussitôt.

Myriam Darmoni remercie Nelly et Christine ; Isabelle, Brigitte, Sophie
et tous les testeurs ainsi que Benjamin pour ses bonnes idées.

Natacha Arnoult remercie Jeannine Cros, 11 rue d'Assas, 75006 Paris.

© 2009, Hachette Livre (Hachette Pratique), Paris.

Tous droits de traduction, d'adaptation et de reproduction, totale ou partielle, pour quelque usage,
par quelque moyen que ce soit, réservés pour tous pays.

Pour l'éditeur, le principe est d'utiliser des papiers composés de fibres naturelles, renouvelables,
recyclables et fabriquées à partir de bois issus de forêts qui adoptent un système d'aménagement
durable. En outre, l'éditeur attend de ses fournisseurs de papier qu'ils s'inscrivent
dans une démarche de certification environnementale reconnue.

Direction : Jean-François Moruzzi
Direction éditoriale : Pierre-Jean Furet
Édition : Christine Martin
Conception intérieure et couverture : Patrice Renard
Réalisation intérieure : MCP
Corrections : Marie-Edith Bernard
Fabrication : Amélie Latsch

Responsable partenariats : Sophie Augereau au 01 43 92 36 82

Dépôt légal : Janvier 2011
Impression : Gráficas Estella, Espagne.

Pour trouver le meilleur vin qui accompagnera chacune des recettes de ce livre et savoir
comment le servir, rendez-vous sur Hachettevins.com. Le site de référence. **HACHETTE** VINS.com